Cuentos para niños de 4 años

Ilustraciones:
Pilar Campos

Diseño y realización:
delicado diseño/Equipo Susaeta

Corrección:
Carmen Blázquez/Equipo Susaeta

Diseño de cubierta:
José Delicado

Campezo, 13 - 28022 Madrid
Tel.: 91 3009100 - Fax: 91 3009118
Impreso y encuadernado en España
www.susaeta.com

Cuentos para niños de 4 años

susaeta

Presentación

Cuentos para niños de 4 años, pensados especialmente para ellos. Cuentos de color azul que les encantarán; con personajes humanos y animales, muchas aventuras y siempre con un fondo de ternura y enseñanza. Historias para entretener que los niños disfrutarán tanto por su lectura como por sus bonitos y dibujos.

Índice

El ratón de campo y el ratón de ciudad

Esopo

El ratón de campo y el ratón de ciudad

Ésta es la historia de dos ratones. Uno vivía en la ciudad y el otro en el campo. Como cran muy amigos, decidieron pasar juntos unos días.

—Vente en primavera —le dijo por teléfono el ratón del campo al de la ciudad—. Como en esa época del año hace buen tiempo y el campo está precioso, seguro que lo pasaremos muy bien.

—¡Qué gran idea! —contestó su amigo—. Llegaré a tu casa en el mes de abril. Así me da tiempo a resolver unos asuntos aquí.

Y con la llegada de la primavera, el ratón de ciudad se marchó al campo a visitar a su amigo. Pero desde el momento en que pisó el campo, el ratón no paró de protestar ni un solo segundo:

—¡Qué incómodo es esto! ¡Qué frío! ¡Qué humedad!

Como, además, se aburría muchísimo, a los dos días decidió hacer las maletas y volver a su casa.

El amigo le preguntó:

—¿Qué sucede? ¿No te gusta el campo? Esta primavera está lloviendo más que otras veces, pero por eso está todo tan verde y da gusto respirar.

El ratón de ciudad pensó en lo que se estaba perdiendo por estar allí y le dijo:

—Llevas una vida tan espantosa como la de las hormigas o los topos. De tanto comer raíces y hierbas, se te están olvidando sabores tan deliciosos como el del queso o el jamón.

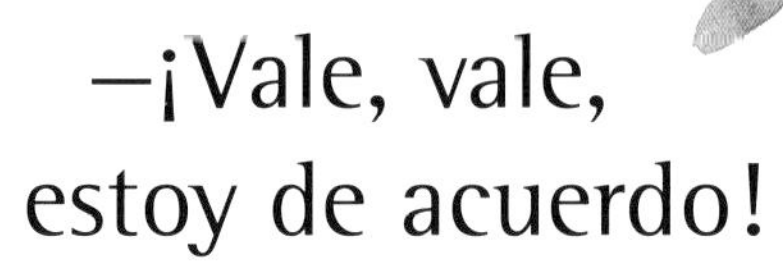

—¡Vale, vale,
estoy de acuerdo!
Cuando pasen unos meses, iré a visitarte a la ciudad.

—Te aseguro que allí sí que podrás disfrutar de la vida. Bueno, amigo, dame un abrazo. ¡Adiós, hasta la vista!

—¡Adiós, hasta pronto! Ya te llamaré por teléfono cuando acabe con las faenas del campo.

Los días fueron pasando y, al llegar el otoño, el ratoncillo del campo fue a visitar al ratón de la ciudad, como le había prometido. El pobre se quedó pasmado al ver la casa tan lujosa que tenía su amigo.

Cuando este le enseñó la despensa, exclamó:

—¡Esto es vida y no la que yo llevo! ¡Cómo huele a queso! ¿Y qué me dices de estos higos secos? —y siguió admirándose de las cosas que allí había mientras se le hacía la boca agua—. ¡Qué buena pinta tienen ese jamón y este queso!

—Pues todo es tuyo. Puedes comer lo que te apetezca —le contestó el otro ratón.

Y dicho esto salió de la despensa. El ratón de campo se lanzó entonces a devorar lo que veía.

Llevaba un trozo de queso en la boca, cuando oyó que alguien abría la puerta de la despensa.

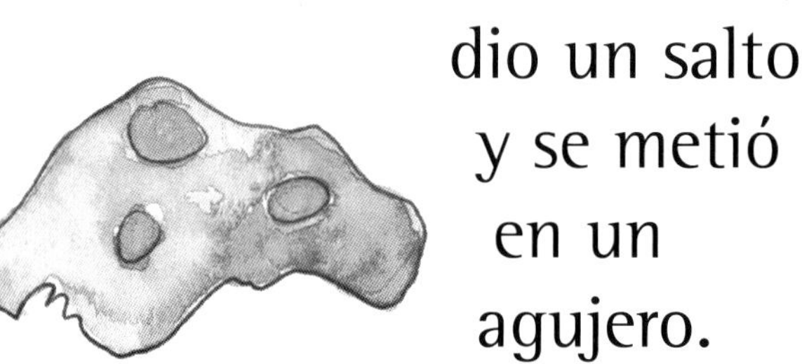

Muy asustado, dio un salto y se metió en un agujero.

Allí estuvo un buen rato y no salió de nuevo hasta que todo quedó en silencio.

Entonces fue cuando vio unas galletas de chocolate.

—¡Estas galletas deben de estar buenísimas! —exclamó.

Cogió el paquete y rasgó el papel con sus pequeñas uñas para sacar las galletas. Estaba a punto de hincarles el diente, cuando oyó unos pasos y vio a una mujer entrando en la despensa. Deprisa y corriendo, se escondió detrás de la caja de galletas.

Su corazón latía con tanta fuerza que parecía que iba a estallar. Intentó contener la respiración para que la mujer no llegara a oírle. Y así, totalmente quieto, esperó un largo rato, que se le hizo interminable, hasta que la mujer salió de la despensa.

Pero esta vez, aunque seguía teniendo hambre, el ratoncillo no pudo ya probar bocado.

No paraba de temblar, terriblemente asustado, por si aquella mujer volvía de nuevo y le descubría.

Cuando su amigo vino a verle a la despensa, el ratoncillo de campo le dijo:

—¡No puedo más! La vida de la ciudad no está hecha para mí, de verdad.

—¿Qué te ha pasado? ¿Por qué tiemblas? —preguntó el amigo muy preocupado.

—Pues mira, aunque la despensa está llena de alimentos muy ricos, estoy hambriento.

—¿Y cómo es eso? —se extrañó.

—Cada vez que intento comer algo, no para de entrar gente —respondió el ratón de campo.

Y añadió:

—Amigo mío, la ciudad no es para mí. Lo siento, pero mañana me vuelvo al campo.

Al día siguiente, el ratoncillo regresó a su casa. Por el camino iba canturreando esta canción:

Lo poco, si eres feliz,
te da alegría y contento,
y esto es mejor que vivir
ricamente y con miedo.

El traje nuevo del emperador

Hans Christian Andersen

El traje nuevo del emperador

Hace muchos años existió un país muy rico gobernado por un poderoso emperador. Tenía fama de ser justo y bueno, pero poseía un defecto: era muy presumido. Como se cambiaba de traje a cada rato, pasaba las horas en el probador mirándose en el espejo.

Puesto que se acercaban las fiestas imperiales, el soberano decidió hacerse un traje que deslumbrara a todo el mundo.

Llamó a los más afamados sastres para elegir la tela y el modelo, pero todo lo que le enseñaban le parecía vulgar y poco original.

—¿Será posible que nadie pueda ofrecerme lo que necesito?

Uno de sus muchos secretarios se le acercó y pidió permiso para hablar:

—Majestad, ayer estuve en el puerto y oí que habían llegado dos famosos tejedores. Quizá ellos puedan confeccionar lo que vuestra majestad necesita.

El emperador ordenó que, de inmediato, buscasen a aquellos hombres y los trajeran a palacio. Poco después estaban ante él.

Tras los saludos y las reverencias, el soberano, sin sospechar que en realidad no eran tejedores, les dijo:

—Sé que sois unos tejedores famosísimos. Por esta razón, deseo que me hagáis un traje magnífico, confeccionado con la tela más extraordinaria del mundo. Pronto serán las fiestas imperiales y quiero ser el centro de todas las miradas, el mejor vestido.

—Majestad, gracias por confiar en nosotros —dijo uno de los falsos tejedores—. Para tan excepcional ocasión, vamos a tejer una tela rara y extraordinaria. Pero con una condición: su alteza no podrá verla hasta que el traje esté acabado.

—¿Y por qué es tan extraordinaria esa tela? —preguntó el emperador.

—Señor, tendremos que utilizar hilos de oro y plata. Pero hay más.

—Una vez tejidos el oro y la plata —dijo el otro falso tejedor—, la tela será invisible para quienes ocupan cargos que no se merecen y para los que son tontos de remate. Por eso es una tela tan especial.

El emperador, muy contento, pensó: «¡Qué maravilla! No sólo llevaré un traje sensacional, sino que, además, podré saber qué ministros y consejeros no se merecen el puesto que ocupan».

Inmediatamente, ordenó que los tejedores instalasen su taller en palacio y les entregó muchísimo dinero para comprar los hilos de oro y plata.

Los falsos tejedores fingían que trabajaban todo el día. De vez en cuando, gritaban a los cuatro vientos:

—¡Estupendo! ¡Magnífico! ¡Genial!

Todos los que lo oían corrían a informar al emperador de la buena marcha del trabajo. Y los muy pillos cada día pedían más dinero para comprar hilos de oro y plata.

Una mañana, el emperador no pudo esperar más y encargó a su primer ministro que fuera a ver la tela. El buen hombre, por más que miró, no vio la famosa tela. Entonces le invadió un miedo terrible.

«¿Seré tonto de remate?», pensó. «¿Estaré ocupando un puesto que no merezco? Pues si es así, nadie debe saber que soy incapaz de ver la tela».

Así que el ministro exclamó:

—¡Qué preciosidad! ¡Qué maravilla!

Y, fingiendo entusiasmo, marchó a informar al emperador de las excelentes cualidades de aquella tela que no había sido capaz de ver.

Esta noticia aumentó la curiosidad del soberano que, día tras día, enviaba a un hombre de su confianza para que le contara cómo avanzaba el trabajo.

Todos volvían diciendo los mismos elogios. Ninguno veía nada, pero nadie estaba dispuesto a confesarlo.

Por fin, los tejedores anunciaron que el traje estaba terminado.

Se presentaron con un cofre ante el emperador. Lo abrieron y, tras aparentar que sacaban el traje, se lo mostraron. Todos los ministros exclamaron:

—¡Bellísimo! ¡Hermoso! ¡Inigualable!

El emperador no sabía qué cara poner, porque la verdad era que él no veía nada.

Pero comprendió que tenía que disimular para que nadie creyese que era tonto o no merecía ser emperador.

—¡Magní..., magnífico! —murmuró.

Los dos falsos tejedores dijeron:

—Majestad, por favor, tenga la amabilidad de quitarse la ropa para que le pongamos el traje nuevo.

Y no tuvo más remedio que quedarse en calzoncillos. Los pícaros hicieron como que lo vestían, mientras repetían una y otra vez:

—¡Qué bien le sienta, Majestad!

Cuando acabaron de colocarle todas las prendas, el emperador se puso frente al espejo, pero no lograba ver otra cosa que sus calzoncillos. A pesar de todo, hizo una señal al maestro de ceremonias para que comenzara el desfile.

Los pajes se acercaron al soberano para simular que le cogían los faldones. Y así, en calzoncillos, el emperador salió del palacio. Las gentes que abarrotaban las calles y las ventanas de las casas comentaban en voz alta:

—¡Qué traje tan soberbio! ¡Jamás se ha visto tela igual! ¡El emperador está elegantísimo!

Pero entre la multitud que aclamaba al soberano había una mujer que alzó a su hijo en brazos para que lo viera mejor. Entonces el pequeño gritó:

—¡Pero si el emperador va en calzoncillos!

Un murmullo corrió entre la gente y por fin, muchos se atrevieron a decir:

—¡El emperador va en calzoncillos!

Todos se echaron a reír y el emperador enrojeció de vergüenza.

La pava y la hormiga

Félix María de Samaniego

La pava y la hormiga

Como todas las mañanas, el pastor fue a buscar a las ovejas. Sacó todo el rebaño y, sin darse cuenta, dejó el corral abierto de par en par. En cuanto la pava lo vio, dijo a sus polluelos:

—Deprisa, deprisa, pequeños, que hoy nos vamos de excursión al campo.

Todos los pavitos se fueron muy contentos detrás de su madre. De vez en cuando se paraban a descansar y aprovechaban para picotear la hierba o beber en algún charco. Al cabo de un rato, volvían a andar. Pasito a pasito, llegaron muy lejos.

Estaban cerca del bosque, cuando la señora pava mandó a sus hijos que se detuviesen. Señalando con una pata hacia el suelo, les dijo:

—Mirad, hijos míos, esto es un hormiguero. Estos bichitos negros que van en fila se llaman hormigas. Son un rico alimento para los pavos. ¡Comed, hijos míos, comed!

—Pero es que no paran de moverse —dijo un pavito.

—No tengáis miedo a las hormigas. Yo también las como y mirad qué fuerte y qué grande me he hecho. Fijaos cómo las atrapo con el pico.

De pronto, la pava se acordó de cosas tristes y dijo:

—¡Hijos míos, qué felices seríamos si no hubiese cocineros en el mundo!

—¿Por qué, mamá? ¿Son malos los cocineros? —preguntó el más pequeño.

—Sí, corazón, son muy malos, terribles.

Y empezó a quejarse la pava:

—Los cocineros nos asan en el horno, nos guisan en las cazuelas, nos fríen en las sartenes. ¡Los seres humanos son unos asesinos! En sus fiestas nunca falta un pavo muerto sobre la mesa.

Mientras la pava se quejaba, una hormiga consiguió escaparse de la fila y trepó por el tronco de un árbol. Cuando se sintió segura, le dijo a la pava:

—Así que usted opina que los hombres son crueles, asesinos y carniceros.

—Sin duda alguna —respondió la pava.

—¡Estamos de acuerdo! —dijo la hormiga—. Pero entonces, si los hombres son crueles con los pavos, ¿no son los pavos crueles con las hormigas?

—¡No, ni mucho menos! —gritó la pava.

—Pues sepa que usted y sus polluelos acaban de comerse a mi familia.

La pava se quedó sin palabras. Mientras tanto, asomó un gusano cerca del hormiguero.

—¡Hermanas, salid! —gritó la hormiga—. Hay aquí un gusano chupando un grano y tiene el granero lleno.

Inmediatamente, salió del hormiguero un ejército de hormigas y en un periquete robaron al gusano todos sus granos. La pava le dijo entonces a la hormiga:

—Es curioso que tú y yo veamos los defectos de los demás, pero no los nuestros. No olvides esto:

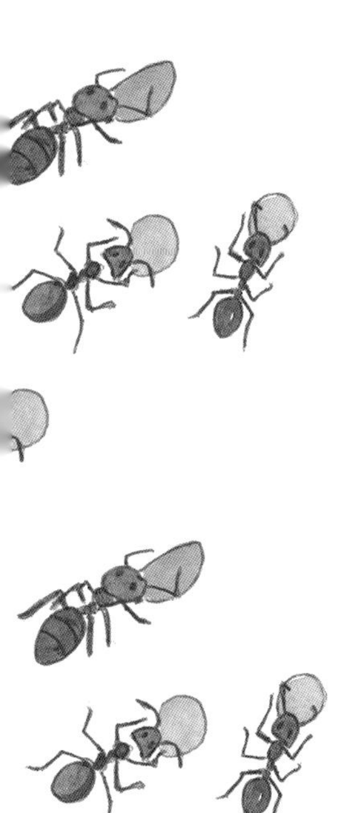

Hombres, pavos y hormigas
la misma opinión tenemos.
Las faltas de los demás
son un delito horrendo,
pero el delito propio
es tan sólo un pasatiempo.

El patito feo

Hans Christian Andersen

El patito feo

Era verano y el campo estaba precioso con los trigales amarillos, los prados verdes y el cielo azul. Cerca del bosque había una granja y allí se encontraba la señora pata, empollando sus huevos. Estaba aburrida porque los polluelos tardaban en salir y nadie iba a visitarla. Sus amigas preferían bañarse en el canal a estar de palique con ella.

De repente, oyó crujir un cascarón.

—¡Por fin, van a salir del huevo!

—¡Pío, pío, pío! —dijeron los patitos al asomar.

—¡Cua, cua, cua! —les respondió mamá pata, animándoles a que corriesen por la hierba.

—¡Qué grande es el mundo! —dijo uno de los patitos, que estaba muy contento al ver que tenía más espacio que dentro del huevo.

—Hijo, esto sólo es el corral.

Mamá pata se levantó y descubrió un huevo grande, oculto entre la paja.

—¡Vaya, aún queda un huevo! ¡Y qué grande y raro es!

En ese momento, pasó por allí una vieja pata y dijo:

—¡Es un huevo de pavo! Lo sé porque una vez empollé uno. ¡Y qué problemas tuve! No había manera de que el pollito se metiese en el agua. Te aconsejo que dejes ese huevo y te vayas a nadar con tus patitos.

—Ya me da lo mismo esperar un poco más —contestó la pata—, terminaré de empollarlo.

Y la espera fue larga. Pero, finalmente, el pollo rompió el cascarón del huevo.

—¡Piu, piu, piu!

Mamá pata lo miró extrañada.

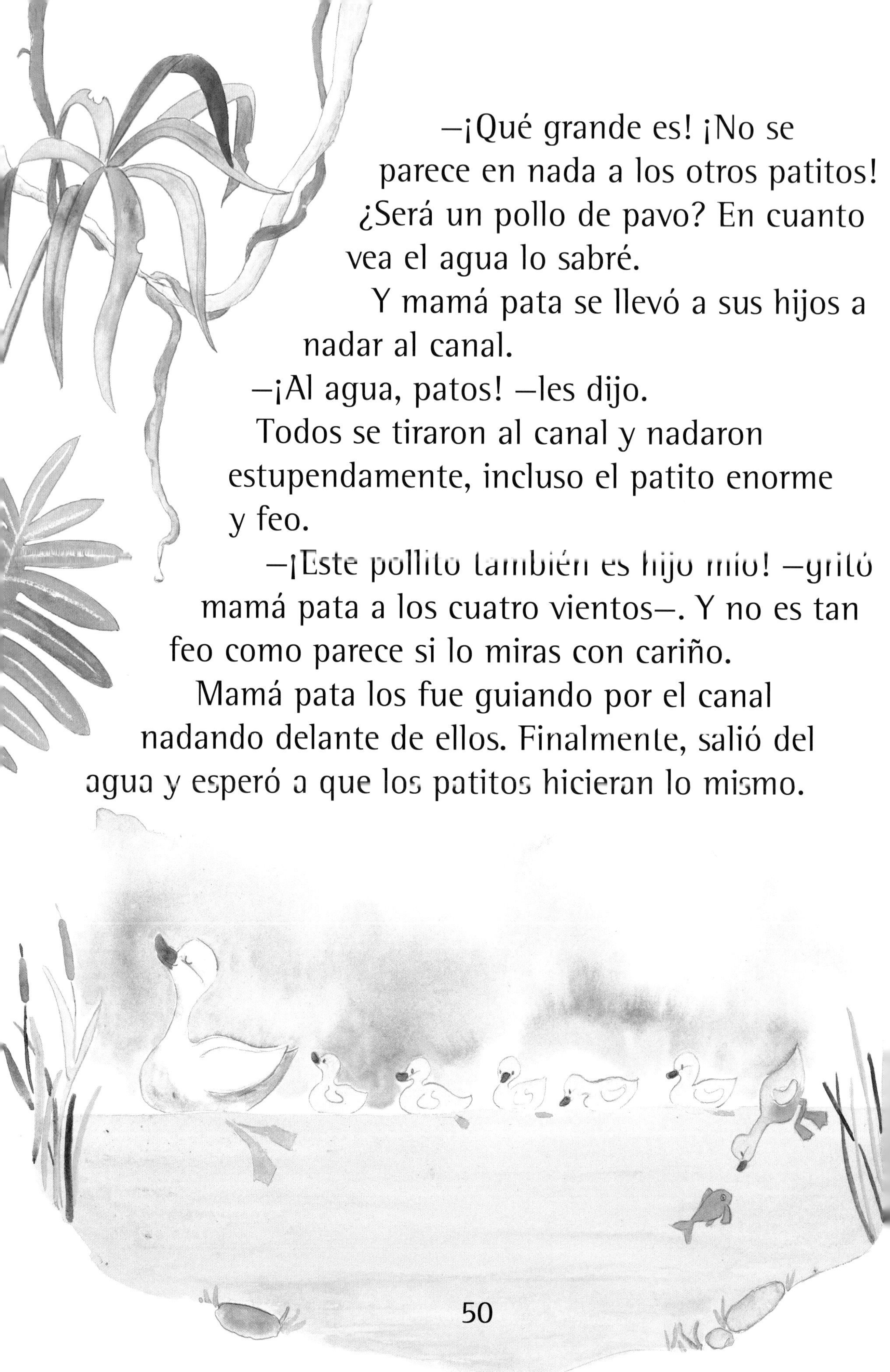

—¡Qué grande es! ¡No se parece en nada a los otros patitos! ¿Será un pollo de pavo? En cuanto vea el agua lo sabré.

Y mamá pata se llevó a sus hijos a nadar al canal.

—¡Al agua, patos! —les dijo.

Todos se tiraron al canal y nadaron estupendamente, incluso el patito enorme y feo.

—¡Este pollito también es hijo mío! —gritó mamá pata a los cuatro vientos—. Y no es tan feo como parece si lo miras con cariño.

Mamá pata los fue guiando por el canal nadando delante de ellos. Finalmente, salió del agua y esperó a que los patitos hicieran lo mismo.

—Ahora, vamos a ir al corral —les dijo—. Quiero presentaros a nuestros vecinos. Procurad ser muy educados y no os separéis de mi lado.

En el camino se encontraron con unos patos jóvenes que, al ver a la pata con sus patitos, no pararon de burlarse:

—¡Como éramos pocos...! ¡Mirad esa birria! ¡Vaya pinta! —gritaban señalando al patito feo.

No contentos con eso, uno de aquellos patos se acercó al patito feo y le dio un picotazo.

—¡Déjale, grandullón! ¿No te da vergüenza? —le gritó la pata.

La pata más noble del corral, que observaba atentamente la escena, también opinó:

—La verdad es que tiene usted unos patitos preciosos, pero ése —dijo señalando al patito feo— no parece un pato.

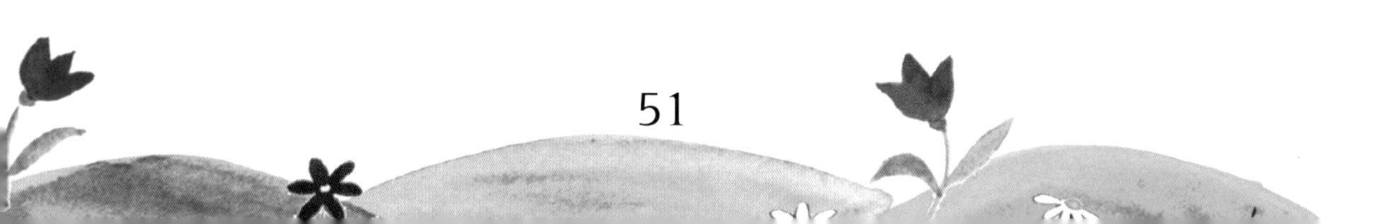

—Señora, es verdad que el patito es grande. Pero si lo mira detenidamente, se dará cuenta de lo hermoso que es. Estoy segura de que, cuando sea mayor, será el más guapo de todos.

El pobre patito tuvo que aguantar aquella tarde muchísimos desprecios, empujones y picotazos. Hasta los pollos de las gallinas se burlaban de él.

Así fue su primer día en el corral, pero a partir de entonces las cosas fueron de mal en peor. Incluso sus hermanos le decían:

—¡Cuello largo, plumas cortas! ¡Plumas cortas, cuello largo!

Todos los habitantes del corral lo maltrataban. Tanto sufría el pobre patito que, un buen día, se fue de allí.

Triste y solo, el patito feo caminó toda la tarde. Al anochecer, cansado y hambriento, se echó sobre la hierba junto a una laguna. En cuanto amaneció, lo despertaron las voces de dos patos silvestres.

—¿Habías visto alguna vez un pato tan feo? —preguntó uno al otro.

Los patos se echaron a reír y alzaron el vuelo. Habrían seguido riéndose, a no ser por los disparos de unos cazadores que acabaron con su vida.

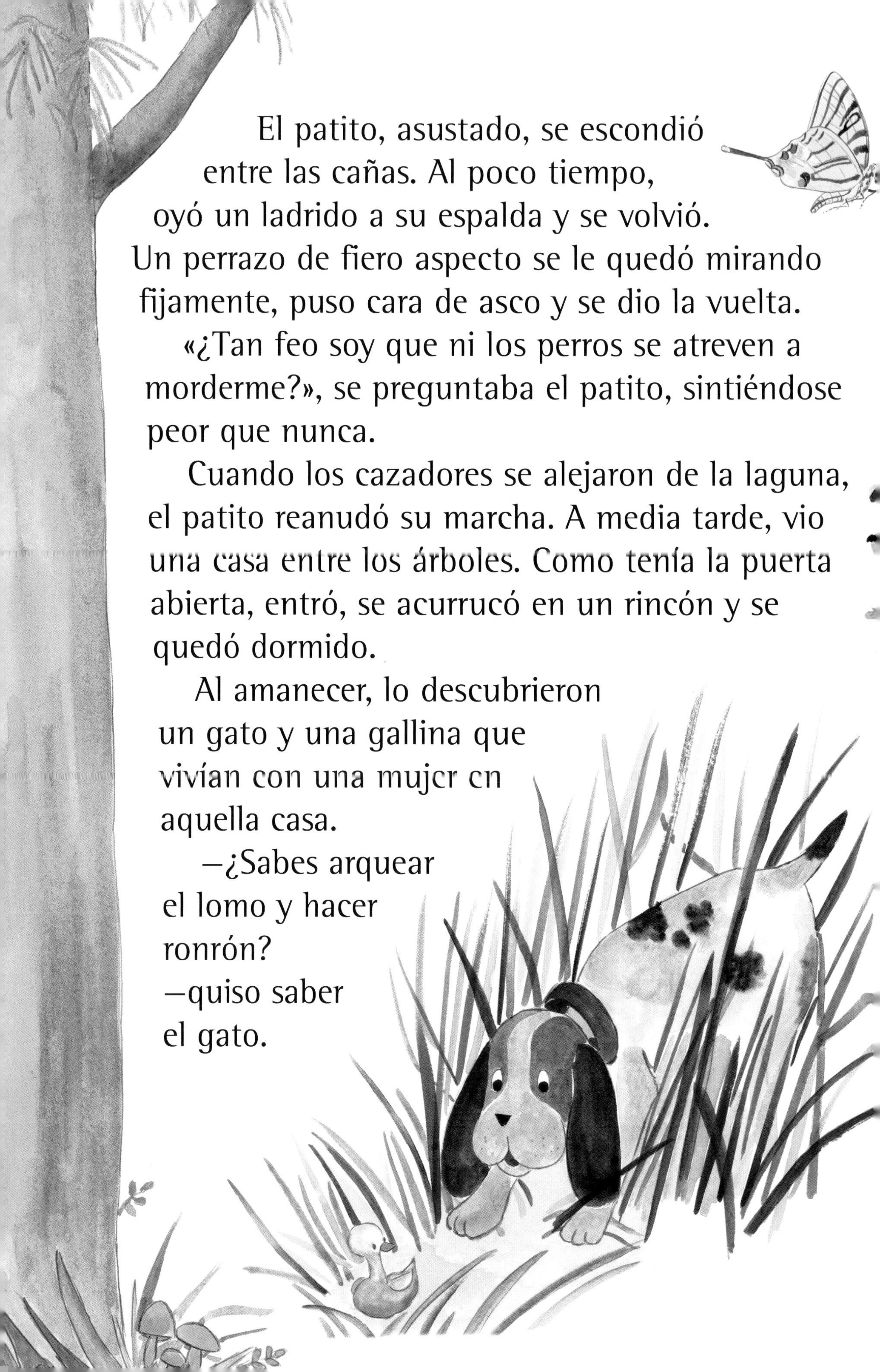

El patito, asustado, se escondió entre las cañas. Al poco tiempo, oyó un ladrido a su espalda y se volvió. Un perrazo de fiero aspecto se le quedó mirando fijamente, puso cara de asco y se dio la vuelta.

«¿Tan feo soy que ni los perros se atreven a morderme?», se preguntaba el patito, sintiéndose peor que nunca.

Cuando los cazadores se alejaron de la laguna, el patito reanudó su marcha. A media tarde, vio una casa entre los árboles. Como tenía la puerta abierta, entró, se acurrucó en un rincón y se quedó dormido.

Al amanecer, lo descubrieron un gato y una gallina que vivían con una mujer en aquella casa.

—¿Sabes arquear el lomo y hacer ronrón? —quiso saber el gato.

—No —contestó el patito feo.

—¿Sabes poner huevos? —le preguntó la gallina.

—Tampoco —respondió el patito.

—Pues si no sirves para nada, nuestra ama no va a querer que vivas con ella —dijo la gallina.

El patito, avergonzado de ser un inútil, agachó la cabeza y abandonó la casa.

Cuando el otoño llegó, el pobre patito feo seguía yendo de acá para allá. Y con el invierno vinieron la nieve y el hielo. Un día que el patito feo nadaba en una charca, quedó aprisionado entre los hielos. Muerto de miedo, el patito lloraba y decía:

—¡Voy a morir!

Menos mal que un campesino lo vio. Le dio tanta pena el pobre animal, que lo sacó de la charca y se lo llevó a casa. Al verlo, su mujer exclamó:

—¡Qué gracioso! Voy a avisar a los niños de que les has traído un patito.

Los niños se pusieron tan contentos que empezaron a gritar y a perseguirlo para jugar con él.

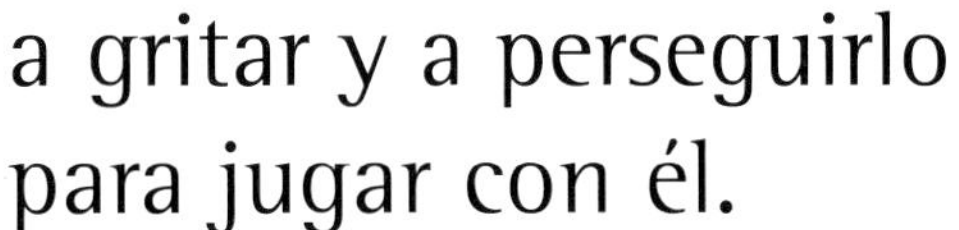

Pero como el patito creía que querían hacerle daño, empezó a revolotear. De un aletazo, tiró la jarra de la leche. La mujer, muy enfadada, fue tras él con un palo. ¡Menos mal que estaba abierta la puerta de la casa! El patito abrió las alas y no paró de volar hasta llegar al bosque, donde se refugió entre unos matojos.

Y llegó la primavera. Una tarde el patito se fue volando hasta el estanque de un parque y se sorprendió al verlo.

—¡Qué bonito es todo en este lugar! Hay árboles, flores y...

También había cisnes. El patito feo se quedó embobado mirándolos y no pudo decir una palabra más. Tanto le gustaron aquellas hermosas aves, que decidió ir a su encuentro.

Mientras se iba acercando, se decía:
«Estoy convencido de que me van a acribillar a picotazos. Pero ¡me da igual! Nadie me impedirá contemplar tanta belleza».

Ya iba por la mitad del estanque cuando, de pronto, bajó la cabeza y vio su figura reflejada en las aguas cristalinas.

—¡Es increíble! ¿Éste soy yo?

Lo que el patito veía en el agua era el cuerpo bellísimo de un cisne esbelto y elegante. Y ese cisne era... ¡él!

—¡Ya no soy un patito feo! ¡Soy un cisne!

Dejó de mirarse y volvió a nadar. Mientras movía las patas, iba diciendo:

—¿No será que el cansancio, el frío y el hambre me hacen ver lo que no hay?

Pero entonces oyó a unos niños que gritaban desde la barandilla:

—¡Eh, mirad, mirad! ¡Hay otro cisne y es el más bonito de todos!

Se referían a él, sin duda, así que se acercó a los niños para que lo acariciaran.

Poco después, los demás cisnes fueron nadando también hacia él para saludarlo. El patito feo se sintió por fin inmensamente feliz.